Berdie Bartels

Meester Moppermans

Tekeningen van Pauline Oud

Zwijsen

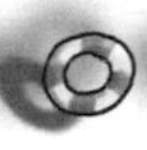

LEESNIVEAU

		ME	ME	ME	ME	ME		
AVI	S	3	4	5	6	7	P	
CLIB	S	3	4	5	6	7	8	P

school | humor

Toegekend door Cito i.s.m. KPC Groep

Boeken met dit vignet zijn op niveaubepaling geregistreerd en gecontroleerd door KPC Groep te 's-Hertogenbosch.

1e druk 2007
ISBN 978.90.276.7258.2
NUR 282

Illustraties: Pauline Oud
Uitgeverij Zwijsen B.V. Tilburg

Voor België:
Zwijsen-Infoboek, Meerhout
D/2007/1919/423

Inhoud

1. Meester Hans

'Ork, ork, ork, soep eet je met een ...?'
'VORK!' gillen bijna alle kinderen tegelijk door het lokaal.
'Stelletje sufkoppen, word eens wakker allemaal, wie eet soep nou met een vórk?'
Meester Hans ligt dubbel van het lachen om zijn eigen grap. Hij slaat met zijn handen op zijn bovenbenen en trappelt met zijn voeten op de grond.
'Ik weet er ook nog één, voor jou, meester!' roept Max.
'Kom maar op, Max, het Moppenmonster, kom maar op met die flauwe mop!'
Meester Hans gaat vlak voor het tafeltje van Max staan en trekt een serieus gezicht.
Max kijkt zo serieus mogelijk terug naar de meester.
'Epel, epel, epel, brood snijd je met een ...?'
'Lepel!' flapt meester Hans eruit voor hij het weet.
De hele klas barst in lachen uit, meester Hans slaat zijn hand voor zijn mond.
'Oeps, o, o, foutje, bedankt,' mompelt hij met een knalrood hoofd. 'Ik ben zelf ook nog niet helemaal uitgeslapen, geloof ik! De hoogste tijd voor wat vrolijke ochtendgymnastiek. Stoelen aan de kant, tafels tegen de wand, wie is de snelste van het land?'
Iedereen stuift op en begint te schuiven met tafels en stoelen. Het is een oorverdovende herrie in het

lokaal. Binnen tien tellen staat alles aan de kant, behalve het bureau van de meester. Dat staat nog voor in de klas, zoals altijd.
Meester Hans klapt in zijn handen: 'Drie, twee, één ... bevries!' roept hij.
In één klap staat iedereen stil, niemand beweegt zich nog. Of, nou ja ... bijna niemand beweegt zich nog, want Mo staat op één been vreselijk zijn best te doen om te blijven staan. Maar zijn knie jeukt, dus móet hij krabben ... hij kan er niets aan doen. Die jeuk moet onmiddellijk ophouden, dus steekt Mo zijn hand uit om aan zijn jeukende knie te krabben. Dát had hij beter niet kunnen doen, maar het is al te laat. Hij begint te wiebelen en te wankelen, en ... valt voorover.
'Ja, Mohammed, jij bent af!' roept meester Hans.
'En wie af is, moet hem zijn,' zegt hij erachteraan.
'Yes!' roept Mo opgewekt, en de jeuk is meteen verdwenen, zo blij is hij.
Hij staat op, springt ongeveer een meter in de lucht en rent door het lokaal naar voren.
Mo is hem, dus Mo mag boven op het bureau van meester Hans. En wie hem is, mag moeilijke kunsten verzinnen die iedereen dan moet nadoen, want zo doen ze dat iedere ochtend sinds meester Hans hun meester is.
'Is iedereen er klaar voor ... opgelet, daar gaan we ... muziek!' roept de meester.
Hij drukt op de startknop van de cd-speler en de muziek begint.
Alle kinderen kijken naar Mo die boven op het bu-

2
TOM
14
JET
31

reau staat. Mo springt van zijn linker- op zijn rechterbeen, eerst langzaam, maar dan steeds sneller. Alle kinderen springen mee: links, rechts, links, rechts, sneller en sneller.
Mo zwaait zijn armen om beurten de lucht in: van de ene kant naar de andere. De armen, van alle kinderen, zwaaien ook heen en weer.
En terwijl Mo springt en zwaait, draait hij een heel rondje boven op het bureau, terwijl iedereen vrolijk een rondje meedraait.
'Zo, zijn jullie nu allemaal goed wakker?' vraagt meester Hans, en hij drukt op de stopknop, zodat de muziek ophoudt.
'Yes!' en 'Tuurlijk!' en 'Ja, meester!' schreeuwt iedereen door elkaar.
Mo springt van het bureau, en met zijn allen ruimen ze het lokaal op. Binnen tien tellen staan alle tafels en stoelen weer netjes op hun plek.
'Pfff,' zucht Max, terwijl hij naast Mo aan zijn tafeltje gaat zitten. 'Dat was lekker wakker worden: ik ben er moe van!'
'En nu gaan we als de wiedeweerga aan het werk,' zegt meester Hans. 'Oren open en monden dicht, want ik wil alleen mezelf nog horen praten.'
Zo gezegd, zo gedaan: iedereen luistert naar meester Hans, die een verhaal vertelt. Zó spannend en zó mooi dat iedereen er vanzelf stil van wordt. Daar hoeven ze helemaal niets voor te doen.

2. Meester Moppermans

De volgende ochtend heeft de meester een nieuw raadsel: 'Het zit op je brood en het giechelt, rara wat is dat?' Niemand weet het antwoord, dus verklapt hij het zelf maar: 'Ha-ha-ha-hagelslag!' De hele klas moet lachen om de grap van meester Hans. En de meester lacht natuurlijk het hardst van iedereen, want meester Hans is de vrolijkste meester die er is. Zelfs vandaag is hij opgewekt, terwijl het buiten hard waait en regent.
'Dan spelen we toch lekker binnen,' zegt meester Hans als het speelkwartier begint.
Ze doen "voetjes van de vloer", binnen, in de klas.
En ze vouwen papieren vliegtuigjes en doen een wedstrijdje "wie kan de buik van meester Hans raken?"
Ja: er valt altijd iets te beleven met meester Hans.
Ja, toch? Of ...

Een paar dagen later, op maandagmorgen, rennen Max en Mo om kwart voor negen de school binnen.
'Net op tijd!' hijgt Mo, terwijl hij zijn regenjack aan de kapstok hangt.
Max trekt de deur van het lokaal open en blijft geschrokken op de drempel staan.
Wat is híer aan de hand? Mo komt naast hem staan, en samen staren ze met open mond de klas in.

Waarom is het hier zo ongelofelijk stil? Waarom zit iedereen braaf aan zijn tafeltje naar het schoolbord te staren? Waarom staat er niemand op het bureau van de meester moeilijke kunsten te doen?
Max stoot Mo aan en zonder iets te zeggen, wijst hij met zijn neus naar het bord.
Daar staat meester Hans, met zijn rug naar de kinderen en een krijtje in zijn hand. Met grote, slordige letters begint hij iets op te schrijven. Het krijtje glijdt piepend en knarsend over het bord.
Mo krijgt er kippenvel van, eerst op zijn armen en dan op zijn benen. Max trekt Mo aan zijn T-shirt mee de klas in en ze ploffen snel neer op hun plaatsen. Ze snappen er nog steeds geen snars van en kijken nieuwsgierig naar het bord. Max wordt er helemaal zenuwachtig van, van zo'n stille klas, en van meester Hans die met woeste gebaren op het bord staat te krassen.
Pak jullie rekenboek en maak hoofdstuk dertien schrijft hij op. Dan draait hij zich om en gaat achter zijn bureau zitten. Hij zegt nog steeds geen woord: het blijft akelig stil in de klas, alleen de laatjes hoor je open- en dichtschuiven.
Iedereen begint stilletjes aan zijn rekenwerk. Als Max vijf sommen af heeft, durft hij voorzichtig even naar de meester te gluren. Die zit onderuitgezakt achter zijn bureau dromerig voor zich uit te staren ... Hij zucht en gaapt en houdt niet eens zijn hand voor zijn geeuwende mond ... Wat is er mis met meester Hans?

Ismael
Youri
Planten

Op dinsdagochtend komen Max en Mo weer precies op tijd, om kwart voor negen, de klas binnen. Iedereen zit al netjes op zijn plek, of ... nou ja ... alle kinderen zitten er al. Maar waar is meester Hans? Die is er toch altijd al als ze op school komen?
Plotseling zwaait de deur van het lokaal wagenwijd open. De hele klas staart met grote ogen naar meester Hans, die met wilde haren en zijn regenbroek nog aan, op de drempel staat.
Iedereen zit stijf van schrik op zijn stoel, niemand zegt iets. Meester Hans loopt zonder op of om te kijken naar zijn bureau en ploft neer. Hij gaapt, hij zucht, hij legt zijn hoofd op zijn tafel en ...
'Pak allemaal je stilleesboek,' zegt hij zacht, en dan doet hij zijn ogen dicht.
Wat is er toch mis met meester Hans?

Op woensdagochtend regent het pijpenstelen als het speelkwartier begint.
'Mogen we "voetjes van de vloer" doen?' vraagt Max aan meester Hans.
'Voetjes van de wát?!' roept de meester verbaasd. 'Daar komt niets van in, dan wordt het hier veel te druk in de klas. Een kleurplaat kleuren, dát mogen jullie doen, dat maakt tenminste geen herrie.'
Max buigt zich naar Mo en fluistert zo zacht mogelijk in zijn oor: 'Meester Hansje Moppermansje.'
Mo schiet in de lach, maar gelukkig wél op zijn allerzachtst.
Meester Hans staat op en met een diepe zucht loopt hij de klas uit om chocolademelk te halen.

Max en Mo kijken hem hoofdschuddend na.
'Wat is er toch mis met meester Hans?' vraagt Mo, die er niets meer van snapt.
'Meester Hans is veranderd in een grote Moppermans,' zegt Max. 'En ik wil nu weleens weten waarom.'
Als het speelkwartier afgelopen is, steekt Max zijn vinger op. Meester Moppermans staart naar het plafond en slurpt van zijn chocolademelk.
'Ja, Max, zeg het maar,' mompelt meester Moppermans zonder Max aan te kijken.
'Meester, wat is er eigenlijk mis met jou?'
Meester Moppermans verslikt zich in zijn drinken en zet langzaam zijn beker neer. Hij pakt het lepeltje en begint langzaam te roeren. Het is doodstil in de klas, je hoort alleen het lepeltje tegen de beker tikken.
De meester blijft maar roeren, ontzettend lang en vreselijk langzaam. Dan stopt hij het lepeltje in zijn mond, ook heel langzaam. Hij likt het lepeltje af, draait zijn hoofd traag naar Max en kijkt hem ernstig aan.
Of, nee ... ziet Max het goed dat er iets in meester Hans zijn ogen glinstert?
Meester Moppermans kijkt helemaal niet ernstig, meester Hans kijkt verdrietig, en rolt daar nu langzaam één dikke traan over zijn wang?
'Wist ik maar wat er mis is, Max,' fluistert de meester droevig. 'Ik heb echt géén idee.'

3. Met Mo mee

Trrring ..., precies om kwart over twaalf rinkelt de schoolbel. Mo frommelt zijn rekenschrift in zijn laatje en propt zijn etui er vlug bij. Mo heeft haast, want het is woensdagmiddag en dat is de leukste middag van de week.
'Zullen we gaan voetballen?' vraagt Max als ze hun rugzakken van de kapstok pakken.
'Morgen,' zegt Mo, 'vanmiddag is het woensdagmiddag en dan heb ik andere dingen te doen. Dat weet je zo langzamerhand toch wel? Maar je kunt natuurlijk gewoon gezellig met mij méégaan, dat is honderdduizend keer leuker dan voetballen. En drieëntachtig keer spannender is het ook, geloof me nou maar!'

Max weet niet helemaal zeker of hij dat zomaar moet geloven. Wat kan er nou zó veel keer leuker zijn dan voetballen op het pleintje achter de flat? Wat kan er nou spannender zijn dan een partijtje tussen de jongens en de meiden uit de buurt? Dan moet het wel waanzinnig spannend en ongelofelijk leuk zijn wat Mo gaat doen ... Meestal zegt Mo niet zomaar iets, en als Mo iets zegt, dan kun je dat rustig geloven. Meestal tenminste. En eigenlijk is Max ook gewoon vreselijk nieuwsgierig wat Mo op woensdagmiddag altijd doet ... Hij kan het voetbal-

len misschien best één keer overslaan ...
'Wie het eerst boven is,' roept Mo als ze bij de flat zijn aangekomen. Ze kunnen natuurlijk ook gewoon de lift nemen, maar de trap is stukken leuker. En véél spannender! Max is razendsnel, maar Mo neemt twee treden tegelijk ... Hijgend en gillend vliegen ze achter elkaar aan de trappen op. Mo ligt zes trappen lang op kop, maar op de zevende wordt hij ingehaald door Max.
'Dat had je gedacht!' hijgt Mo, en met twee treden tegelijk sprint hij Max weer voorbij.
'Opzij, opzij, maak plaats voor mij!' roept Max vlak achter Mo's rug. Naast elkaar rennen ze de laatste trap omhoog naar de negende verdieping.
'Gewonnen!' gillen ze zij aan zij, allebei tegelijk, als ze puffend boven aan de negende trap staan.
'Gefeliciflapsteerd!' feliciteren ze elkaar, en ze rennen de galerij op waar Mo woont.

Max zet zijn schoenen onder de kapstok, naast de regenlaarzen van Mo. Thuis hoeft hij nooit zijn schoenen uit te doen, maar bij Mo moet dat altijd. Max vindt dat helemaal niet erg, want bij Mo hebben ze waanzinnig zachte vloerbedekking. Daar zak je zelfs een stukje in weg, als je eroverheen loopt. Max kan horen dat er veel mensen binnen zijn, want uit de woonkamer klinkt geroezemoes. Hij hoort veel meer mensen dan Mo's vader, moeder, zijn vier grote broers en zijn kleine zusje.
'De hele familie is er, omdat het woensdagmiddag is,' zegt Mo, en hij gooit de deur van de woonka-

mer open.
Max kijkt zijn ogen uit als hij vanaf de drempel de kamer in staart. Op de bank, op de grond, op de leunstoelen ... overal ziet hij mensen. Ze zitten allemaal in een kring rond een lage tafel. En wat ruikt het hier verrukkelijk!
'Gezellig, dat je erbij bent vandaag,' lacht de moeder van Mo. 'En je hebt geluk, want vandaag gaat er iets spannends gebeuren! Maar neem eerst lekker iets te smikkelen, er is genoeg voor iedereen.'
Max gaat op de grond zitten, tussen Naïma, het zusje van Mo, en Mustafa, de oudste broer. De lage tafel staat propvol schalen, pannen en bakjes, gevuld met eten. Max ziet couscous en kebab. Dat kent hij wel van thuis, net als de Marokkaanse broden die er ook liggen. Die koopt zijn moeder weleens op de zaterdagmarkt.
Max weet niet wat hij allemaal op moet scheppen: er ligt zóveel eten dat hij nooit eerder heeft gezien ... En alles ruikt zó verrukkelijk lekker. Het is zó moeilijk om te kiezen uit zo veel verschillende dingen ... en hij is zó zenuwachtig, want wat voor spannends zal er straks toch gaan gebeuren? Waarom doet iedereen zo opgewonden en vrolijk en druk? Van de zenuwen heeft hij eigenlijk al geen trek meer.
Plotseling ploft Mo naast Max op de grond, met een schoteltje vol lekkere hapjes.
'Schiet nou op, Max-de-treuzelaar, we hebben niet de hele woensdagmiddag de tijd, hoor! Over een kwartiertje komt de verrassing, dan moeten we natuurlijk wel klaar zijn met eten.'

Max kan echt niet kiezen uit al dat lekkers, dus laat hij Mo voor hem kiezen.
'Hier, dit is chebakia, mijn lievelingshapje,' zegt Mo, en hij legt drie kleverige koekjes op Max zijn bord.
'Mmm ... honing!' mompelt Max terwijl hij alle tien zijn zoete vingers aflikt. Max smult en smikkelt en vergeet helemaal dat het bijna tijd is voor de spannende verrassing, totdat ...
'Toet-toet, toeterdetoet-toet!'

4. Verrassing!

'Eindelijk, daar zijn ze!' roept Mo opgewonden, en hij trekt Max aan zijn trui mee naar het balkon. 'Kijk, daar beneden, op de parkeerplaats, daar heb je de muziek!'
Mo wijst naar een knalrode bus vol deuken die midden op de parkeerplaats staat. Rond het busje lopen een stuk of zeven vrouwen te sjouwen met koffers en kisten en mooi versierde zakken. Ze hebben allemaal een lange jurk aan met een puntige capuchon. Of ... ziet Max het eigenlijk wel goed ... ze hebben óók allemaal een *baard* ...
'Asjemenou!' roept Max verbaasd uit. 'Zeven vrouwen met een baard, dat is wel een héél bijzondere verrassing!'
'Nee joh, oelewapper, dat zijn geen vrouwen, dat zijn mijn zeven neven in een djellaba,' giechelt Mo. 'Die hebben ze aangetrokken omdat ze vanmiddag voor ons gaan optreden!'

Even later stappen de zeven neven in hun djellaba de huiskamer binnen. Iedereen helpt om alle banken en stoelen aan de kant te schuiven. De zeven neven maken de koffers, de kisten en de zakken open.
'Hé, zo'n gitaar heeft mijn broer óók, alleen is die veel platter!' zegt Max als iemand een bolle gitaar

tevoorschijn haalt.
'Dit lijkt een gitaar,' zegt één van de neven, 'maar het is een luit. En dit instrument, met die mooie versiersels, is geen viool, maar een rebab, luister maar.'
Eén neef strijkt met een stokje langs de snaren, de andere neef speelt met zijn vingers op de luit.
Tok tok tokkerdetoktok tok ... Dat vrolijke getok komt van een neef die supersnel op een klein trommeltje slaat.
'Dat noemen we de bendir,' zegt Mo, 'mooi hè?'
Boem boem boemerdeboem boem ... Eén van de neven heeft een bloemenvaas op zijn schoot liggen waar hij op trommelt.
'Zo'n darbouka lijkt net een vaas,' zegt Mo, 'maar het is eigenlijk een trommel. Wacht, ik heb een goed idee, ik ga even iets pakken.' Mo rent naar zijn slaapkamer en komt terug met twee tamboerijnen.
'Hier, Max, jij mag óók meespelen met de muziek, op deze tar.'
Tringelingeling ... Mo schudt met zijn tar boven zijn hoofd.
Tsjing tsjing tsjing ... Max tikt met zijn tar tegen zijn bovenbeen.
Tok tok tokkerdetok tsjing boem ...
Alle neven maken nu muziek, samen met Max en Mo, die allebei staan te glimmen van trots. De hele familie staat in een kring om hen heen. Ze lachen en klappen en roepen 'joehoe' en 'joho'.
Opeens schrikt Max van een hard gegil dat uit de kring klinkt. Maar het is de moeder van Mo, die

vrolijk gillend en lachend midden in de kring gaat staan. Ze draait rondjes met haar heupen en houdt haar armen in de lucht. In haar hand heeft ze een dunne paarse sjaal met belletjes eraan. Ze knoopt de belletjessjaal om haar heupen, terwijl ze rondjes blijft draaien.
Tingelingelingeling ... de belletjes rinkelen vrolijk met de muziek mee.
Nu komt de vader van Mo naar voren en hij gaat tegenover Mo's moeder staan. Wat is er aan de hand? Hij staat helemaal kaarsrecht, kijkt strak voor zich uit, en stampt met één voet hard op de grond.
'Waarom is je vader nou boos?' roept Max geschrokken in het oor van Mo.
Voor Mo kan antwoorden, ziet Max al dat hij zich vergist: Mo's vader is helemaal niet boos. Hij stampt nu met beide voeten op de grond, en zo danst hij rond Mo's moeder, die nog steeds met haar heupen draait en hem lachend aankijkt.

Pep pep pepperdepep pep ... tettert het opeens door de kamer. Iedereen staat stil en kijkt verbaasd om zich heen om te ontdekken waar dat vreemde geluid vandaan komt. De neven van Mo hebben toch geen trompetten bij zich?
Pep pep pepperdepep pep ...
'Dat ben jij: het komt uit je broekzak!' sist Mo terwijl hij Max een por in zijn zij geeft.
'Oeps!' fluistert Max, en hij graait in zijn broekzak naar zijn mobieltje.
Hij kijkt snel wie hem belt: *mama thuis* leest hij op

het schermpje.
'Oeps!' fluistert hij nog een keer terwijl hij opneemt. 'Sorry, mam, ik ben helemaal vergeten je te bellen dat ik bij Mo ben vanmiddag.'
'Misschien wil je moeder wel komen dansen,' zegt de neef met de luit. 'En misschien heeft je broer ook zin om mee te komen. Als hij zijn gitaar meeneemt, wordt het hier nóg gezelliger!'

Vijf minuten later wordt er aangebeld en staan mama en Joost, de grote broer van Max, samen voor de deur. Iedereen kijkt hen vol verwachting aan als ze binnenkomen. Mama heeft een gebloemde sjaal om haar heupen, en Joost heeft zijn gitaar onder zijn arm.
'Wordt er hier nog gedanst of hoe zit dat?' vraagt mama terwijl ze lachend de stille kring rondkijkt.
'En wordt er hier nog muziek gemaakt of hoe zit dat?' vraagt Joost terwijl hij op zijn gitaar begint te tokkelen.
En dan gebeurt er van alles tegelijk: de neven beginnen op hun instrumenten te spelen, Mo's moeder begint te gillen, en mama gaat midden in de kring staan. Heel even staat iedereen verbaasd naar haar te kijken. En dan ... dan draait mama met haar heupen en stampt Joost met allebei zijn voeten hard op de grond. Samen dansen ze door de kamer en iedereen danst mee. Het begint al donker te worden als mama op de bank neerploft.
'Pfff, wat ben ik moe ... en wat heb ik een dorst ... ik kán niet meer!'

De moeder van Mo schenkt een kopje Marokkaanse thee in voor Max' moeder. Of ... nou ja ... geen *kopje* thee, maar een glaasje thee, want zo doen ze dat in Marokko en bij Mo. De zeven neven krijgen ook thee, Max en Mo krijgen limonade. Joost heeft geen dorst: die snoept zich misselijk aan de olijven en de chebakia.

'En nu wil ik slapen,' zegt mama als haar theeglas leeg is. 'En jullie gaan met me mee, want morgen moeten jullie weer vroeg op.'

Max en Joost zuchten allebei tegelijk, want ze hebben helemaal geen zin om naar huis te gaan en al helemaal niet om te gaan slapen.

'Ja Mo, jij gaat ook naar bed, anders heeft meester Hans morgen niks aan jou,' zegt Mo's vader. 'En dan moet hij in zijn eentje ochtendgymnastiek doen, omdat jullie nog te slaperig zijn. Daar wordt meester Hans vast niet vrolijk van.'

'Meester *Moppermans* zul je bedoelen,' zucht Mo. 'We hebben al zó lang geen ochtendgymnastiek gedaan, dus dat zal morgen ook niet gebeuren, denk ik.'

5. Schuilplaats

Mo had het goed geraden: ze doen geen ochtendgymnastiek vandaag, en ook geen moppen of raadsels. Ze moeten de hele dag stil werken, terwijl de meester maar een beetje voor zich uit zit te staren.

Om kwart over drie gaat de bel: gelukkig, het is tijd om naar huis te gaan. Alle kinderen verzamelen zich bij meester Moppermans, bij de deur van de klas. Alle kinderen, behalve Max en Mo. Die staan samen te treuzelen bij het kraantje achter in het lokaal. Meester Moppermans doet de deur open en loopt de gang in. Alle kinderen lopen stilletjes achter hem aan, naar de kapstok, om hun jas te pakken. Alle kinderen, behalve Max en Mo. Mo wast zijn handen, terwijl Max op de uitkijk staat.
'Is hij weg?' fluistert Mo, terwijl hij zijn natte handen afdroogt aan zijn spijkerbroek.
'Ja, kom vlug,' sist Max, en hij duikt naar beneden. Hij trekt het gordijntje dat onder de wastafel hangt opzij. Dan kruipt hij vliegensvlug onder het aanrecht en Mo duikt er snel achteraan. Max schuift het gordijntje weer dicht: zo zijn ze onzichtbaar. Het past maar nét, dus ze maken zich allebei zo klein mogelijk. Naast elkaar zitten ze zonder zich te verroeren te wachten op wat er gaat gebeuren.
'Ik moet plassen,' zegt Mo met een klein piepstem-

metje.
'Niet aan denken nu, denk maar aan iets anders, dan gaat het vanzelf over,' fluistert Max. 'Denk bijvoorbeeld maar aan de mopperende meester Moppermans, en waarom wij hier nu zitten.'
Mo denkt aan meester Hans die altijd zo vrolijk was, en aan de ochtendgymnastiek, de raadsels en de moppen. Dat helpt: Mo hoeft niet meer te plassen. Hij denkt aan de droevige meester Moppermans en aan wat er toch mis kan zijn met hem. En dat hij hier nu stiekem, samen met Max, onder de wastafel zit te wachten om dat uit te zoeken.

'Au, mijn knieën doen zo'n pijn, ik krijg kramp,' kreunt Max een paar minuten later.
'Ssst ... stil nou, straks verraad je ons nog en dan is alle moeite voor niets geweest!' Mo legt zijn wijsvinger tegen zijn lippen.
Ze zitten dicht tegen elkaar aan, op hun hurken, in hun schuilplaats onder het aanrecht. De meester loopt door de klas en veegt de vloer. Hij zíngt. Max en Mo kunnen de woorden moeilijk verstaan, want de meester is ver weg. Ze zetten hun oren allebei zo ver mogelijk open, om te horen wat hij zingt:

'Wat is er mis met Moppermans,
de meester van groep vier?
Hij knort en bromt de hele dag
en maakt nooit meer plezier.
Rom bom rommeldebrom.'

Max en Mo kijken elkaar geschrokken aan: zingt hij nou over meester *Moppermans*? Hoe kan de meester weten dat zij hem stiekem altijd zo noemen?
Daar kunnen ze niet lang over nadenken, want plotseling houdt de meester op met zingen. De jongens houden hun adem in. Ze horen alleen de bezem over de vloer vegen. Vragend kijken ze elkaar aan: waarom is het plotseling zo stil? Maar na tien tellen horen ze de meester weer zachtjes verder zingen:

'Rom bom rommeldebrom,
Moppermans, doe niet zo stom!'

'Ja, dat is het, déze woorden zocht ik!' roept meester Hans opeens, terwijl hij de bezem laat vallen.
Max gluurt héél voorzichtig door de kier van het gordijntje de klas in. Hij ziet hoe de meester naar zijn bureau loopt, hoe hij daar bukt, een schrift uit zijn tas pakt en gaat zitten.
'Moppermans, doe niet zo stom,' zingt de meester, en hij schrijft iets in zijn schrift.
'Laat mij eens kijken,' fluistert Mo tegen Max, en hij duwt hem opzij om door de kier te kunnen gluren.
'Pas op!' sist Max, maar het is al te laat: Mo heeft zó hard geduwd, dat Max omvalt en zo onder de wastafel uit rolt. Van schrik stoot Mo zijn hoofd tegen de onderkant van de wasbak.
'Au!' roept hij terwijl hij het gordijntje opzij schuift om te kijken hoe het met Max is.
'Wie ... wat ... waar ... wat krijgen we nóu?' Het is

de boze stem van meester Hans, die met grote stappen naar de wastafel komt gelopen.
'Wat doen júllie hier?' vraagt hij verbaasd aan Max en Mo, die overeind proberen te krabbelen.
'Nou, eh ... wij, eh ... wij gingen nog even onze handen wassen, ja toch, Max?' stamelt Mo.
Er verschijnt een grote rimpel op het voorhoofd van de meester, vlak boven zijn neus. Hij gelooft er geen woord van, dat zien Max en Mo zo.
'En vertel me nu dan maar eens wat jullie daar wél deden,' bromt de meester. Max en Mo kijken elkaar aan: nu moeten ze het wel vertellen ...
'Nou, kijk, meester,' begint Max.
'We missen je moppen en je grappige raadsels en je vrolijke ochtendgymnastiek,' gaat Mo verder.
'Ja,' zegt Max, 'en toen dachten we: [illegible] is er toch mis met meester Hans?'
'En dat gingen we dus uitzoeken, vandaag, onder de wasbak achter het gordijntje,' ratelt Mo.
'Want we vinden het vervelend dat je verdrietig bent,' fluistert Max.
'Dus we willen weten wat er is,' mompelt Mo.
'Dus: wat is er mis?' vragen Max en Mo in koor.
Meester Hans kijkt hen met een rimpel in zijn voorhoofd aan, maar dan schiet hij in de lach. 'Dat zal ik jullie dan eens heel precies gaan vertellen. Kom maar mee, dan gaan we aan mijn tafel zitten.'

6. Het geheim van Moppermans

Max en Mo zitten ongeduldig op hun stoelen te wippen, terwijl meester Moppermans bij hen aan zijn bureau gaat zitten. Ze kunnen haast niet wachten tot de meester zijn geheim gaat vertellen. Van de zenuwen en het ongeduld kunnen ze niet meer stilzitten. De meester zit wél stil, héél stil zelfs: hij staart naar het schrift dat voor hem op het bureau ligt. Hij zegt geen woord en hij kijkt weer zó droevig ... Wat is er toch mis met de meester?
'Heb je misschien last van liefdesverdriet?' vraagt Mo voorzichtig na een tijdje.
'Ben je misschien verliefd en durf je geen verkering te vragen?' probeert Max. 'Of vind je het gewoon niet meer leuk om meester te zijn?'
'Heb je misschien een hekel aan ons, omdat we altijd zo veel herrie maken? Je mag het eerlijk zeggen, meester, we zullen niet boos worden,' zegt Mo.
'Dat is lief van jullie,' mompelt meester Hans terwijl hij door het schrift bladert.
'Misschien kunnen we je wel helpen, als we weten wat er aan de hand is,' zegt Max. 'Misschien kunnen we je dan weer opvrolijken.'
'Nou, dat zal niet zo makkelijk gaan, denk ik,' mompelt meester Hans. Langzaam slaat hij de bladzijden van het schrift om, één voor één. Max en Mo

buigen naar voren om te kijken of ze kunnen lezen wat er staat. Maar op dat moment slaat de meester het schrift vlug dicht. Wat heeft hij te verbergen?
'Ze kennen ze niet,' mompelt meester Hans zacht, en hij slikt.
'Wíe kennen wát niet?' vragen Max en Mo nieuwsgierig.
'De ménsen ... de ménsen kennen mijn liedjes niet,' stamelt de meester.
'Wélke liedjes?' klinkt het weer in koor.
'Míjn liedjes, die ik allemaal in dit schrift heb geschreven,' zucht meester Hans, terwijl hij het schrift in de lucht houdt. 'Nachtenlang heb ik eraan gewerkt, omdat ik overdag hier op school moet zijn om jullie les te geven. En die liedjes zitten altijd in mijn hoofd, dus die moesten er maar eens uit. Daarom ben ik ze op gaan schrijven in mijn liedjesschrift. Ik dacht: dan wordt het wat rustiger in mijn hoofd, dan hoor ik niet de hele dag die liedjes. Want ik word zó moe van die drukte in mijn hoofd, zo verschrikkelijk moe.'
Max en Mo wippen niet meer op hun stoel: ze zitten rechtop met open mond te luisteren. Die arme meester Hans, met al die drukte in zijn hoofd ... geen wonder dat hij daar chagrijnig van wordt.
'En het helpt best wel: het wordt steeds stiller in mijn hoofd,' gaat de meester verder. 'Hoe meer liedjes ik 's nachts in mijn schrift schrijf, hoe minder er overdag in mijn hoofd zitten. Maar als ik 's nachts schrijf, slááp ik natuurlijk niet. En dan ben ik dáár weer moe van. Zó moe, dat ik er chagrijnig van

word: zó moe dat ik alleen nog maar kan mopperen tegen jullie.'
Max friemelt aan het bandje van zijn horloge, Mo aan het knoopje van zijn spijkerjack. Ze denken allebei na, over meester Moppermans en de liedjes in zijn hoofd. Wat zou het fijn zijn als de oude meester Hans weer terugkwam. Zonder gemopper, maar mét zijn zelfgeschreven liedjes.
'En het ergste is,' gaat de meester verder, 'dat niemand mijn liedjes kent. Ze staan daar maar in dat schrift te staan, terwijl ik zó graag zou willen dat de mensen mijn liedjes leren kennen. Maar ik weet niet hoe ik dat voor elkaar moet krijgen.'

Ze blijven alle drie nog een hele tijd stil aan het bureau van de meester zitten.
'Dankjewel,' zegt Mo opeens. 'Dankjewel dat je ons je geheim hebt verklapt.'
'Graag gedaan, jongen, en nu is het de hoogste tijd dat ik naar huis ga,' zegt meester Hans. 'Want er zit alweer een nieuw lied in mijn hoofd, dus dat moet ik weer gauw gaan opschrijven.'

'We moeten de meester helpen, Mo,' zegt Max, als ze bij de kapstok hun jassen aantrekken. 'We moeten een plan verzinnen om meester Hans beroemd te maken. Zodat iedereen straks zijn liedjes kent.'

7. Liedjesdieven

'Ja, hebbes!' roept Max terwijl hij in de schoudertas van meester Hans graait. Met een grote grijns op zijn gezicht haalt hij het liedjesschrift tevoorschijn.
'Vlug, opschieten nu, voordat hij terugkomt!' roept Mo.
Het speelkwartier is net begonnen, en de hele klas is buiten aan het spelen. Mét meester Hans, want die moet opletten dat er geen ruzie komt, of dat er iemand van het klimrek valt. En dat ze niet vals spelen bij het voetballen. Meester Hans moet op zóveel dingen letten, dat hij voorlopig nog niet terug is in de klas. En hij heeft het zó druk, dat hij Max en Mo vast niet zal missen buiten, op het schoolplein. Maar voor hoelang? Als de meester ontdekt dat Max en Mo niet op het plein zijn, gaat hij hen vast en zeker zoeken. Max en Mo moeten haast maken, want de meester mag niet weten welk plan ze hebben bedacht. Ze kruipen vlug onder de wastafel: daar zitten ze veilig, net als de vorige keer. Daar kan niemand hen zien zitten vanaf het schoolplein, ook de meester niet. Max houdt het schrift als een kostbare schat met twee handen stevig vast.
'We moeten nog een pen en een papier hebben,' fluistert hij tegen Mo.
Mo gluurt door de kier van het gordijntje: 'Ja, het is veilig, iedereen is verdwenen,' zegt hij. Mo springt

onder het aanrecht uit en rent naar zijn tafeltje. Hij grist een potlood en een kladblaadje uit zijn laatje en rent vlug terug. Max zit al druk door het liedjesschrift te bladeren.
'Ja, hier staat het, hier, kijk maar,' en hij wijst naar de woorden in het schrift.
'Oké, jij leest het voor, en ik schrijf alles op,' zegt Mo.

'Wat is er mis met Moppermans,
de meester van groep vier?
Hij knort en bromt de hele dag
en maakt nooit meer plezier.

Rom bom rommeldebrom,
Moppermans, doe niet zo stom!

Wat is er mis, wat is er nou,
Moppermans, vertel het gauw.
Wij willen meester Hans terug,
vertel ons je geheim dus vlug.

Rom bom rommeldebrom,
Moppermans, die is zo stom!

Weten jullie wat het is?
Er is iets heel verschrikkelijk mis:
Meester Hans heeft zo'n verdriet,
want niemand kent zijn lied.
Rom bom rommeldebrom,
en dat is ongelofelijk stom!'

Mo schrijft het hele lied op een kladblaadje, en propt het dan vlug in zijn broekzak. Max sluipt naar de tas van de meester en stopt het schrift er snel weer in.
Samen sluipen ze naar de gang, en daar durven ze weer te praten. Trots kijken ze elkaar aan, en ze steken allebei een hand in de lucht.
'Gelukt!' roepen ze in koor, en ze slaan hun handen tegen elkaar.
'Nu kan het echte werk beginnen!'

8. Kom maar op met dat lied

Na school rennen Max en Mo zo snel als ze kunnen over het plein naar hun flat. Vandaag gaan ze met de lift omhoog, want dat gaat sneller dan met de trap. En ze moeten opschieten, want ze hebben haast: ze moeten werken aan hun geheime plan.
'Is Joost er al?' vraagt Max aan mama, zodra ze de voordeur opendoet.
'Hoi,' mompelt Mo tegen de moeder van Max, en hij glipt langs haar de gang in. Mama kijkt de jongens verbaasd na terwijl die hun jassen onder de kapstok gooien en de woonkamer in rennen.
Joost hangt onderuitgezakt op de bank, met zijn gameboy op schoot en kauwgom in zijn mond.
'Joost, je moet ons helpen met ons plan om meester Hans terug te krijgen,' ratelt Max.
'Is meester Hans weg, dan?' vraagt Joost zonder op te kijken. Hij gaat gewoon verder met zijn spelletje.
'Nee, oelewapper,' zegt Mo, 'hij is niet écht weg, maar hij is veranderd in een moppermeester.'
'En jij moet ons helpen om hem weer vrolijk te maken,' zegt Max.
'Hoe kan ík dat nou doen?' zegt Joost met een ongelofelijk diepe zucht. 'Ik kén die meester Hans van jullie niet eens, dus hoe moet ík hem opvrolijken?'
'Met zijn lied: we hebben een zelfgeschreven lied van hem gestolen,' legt Max uit. 'En dat lied moet

iedereen straks kennen, en jij kunt ons helpen, als je wilt.'
Joost zet zijn gameboy uit, blaast een enorme kauwgombel en gaat rechtop zitten.
'Helpen met een lied ... dat klinkt leuk ... maar wat is jullie plan dan?'
'Nou, kijk, ik zal het even uitleggen: jij hebt een gitaar, en wij hebben dat lied,' begint Max.
'Dus als jij nou de muziek maakt,' gaat Mo verder, 'dan kunnen wij erbij zingen.'
'En dan worden we beroemd, met het lied van meester Hans,' zegt Max.
'Nou, hoho, zó makkelijk zal dat niet gaan, hoor,' zegt Joost. Teleurgesteld ploft Max naast Joost op de bank.
'Zullen we dan maar gaan voetballen op het plein?' vraagt Mo aan Max.
'Mij best,' zegt Max, 'ons plan gaat tóch niet lukken.'
'Nou, hoho, niet zo snel de moed opgeven, jongens. We kunnen het toch in ieder geval probéren?' En weg is Joost, naar zijn kamer, waar zijn gitaar ligt.
Max zit met grote ogen en open mond op de bank. Mo kijkt naar Max met een grote grijns op zijn gezicht. Dan neemt Mo een aanloop, en zonder waarschuwing springt hij boven op de bank, en boven op Max.
'Hieperdepiep hoera!' schreeuwt hij in Max zijn oor. 'Gefeliciflapsteerd met ons geweldig goede plan!'

'Oké, mannen, kom maar op met dat lied,' zegt Joost als hij met zijn gitaar de kamer in komt.
'Rom bom rommeldebrom,' zingen Max en Mo uit volle borst. 'Moppermans, die is zo stom!'
Joost speelt een vrolijk deuntje op zijn gitaar: eerst langzaam, maar dan steeds sneller.
'Er zou een drumstel bij moeten,' mompelt hij als het lied is afgelopen. 'Dan klinkt het nog véél vrolijker, dat weet ik zéker.'
'Of een darbouka en een tar natuurlijk,' zegt Mo, 'die klinken óók heel vrolijk!'
'Mo, jongen, je bent een kánjer,' zegt Joost, en hij slaat Mo op zijn schouder. 'Heb je het telefoonnummer van je zeven muzikale neven? Dan gaan we ze meteen bellen: ze moeten zo snel mogelijk hiernaartoe komen!'

Toet-toet, toeterdetoet-toet!
'Daar zijn ze al!' roept Mo, en hij rent naar het balkon. Het rode busje staat midden op de parkeerplaats, met de zeven neven eromheen. Net als op die woensdagmiddag, alleen hebben ze nu geen jurken aan, maar spijkerbroeken. Mama zet de voordeur open, en één voor één komen de neven binnen met hun koffers en kisten vol instrumenten.
Max en Mo schuiven de tafel en de stoelen aan de kant, zodat er plaats is voor iedereen.
'En van je één ... twee ... één, twee, drie, vier ...' telt Joost, en dan ...
Dan barst er een kanonharde, vrolijke, swingende herrie los in de kamer. De vloer trilt ervan, zó veel

geluid maken ze met zijn allen.
'Harder!' schreeuwt Joost tegen Max en Mo, die samen het lied staan te zingen.
'Rom bom ROMMELDEBROM!' brullen Max en Mo uit volle borst, zo hard als ze kunnen.
Maar al die muziekinstrumenten klinken zó hard ... véél harder dan hun stemmen. Er is geen woord te verstaan van het lied.
'We hebben versterking nodig,' zegt een neef.
'Versterking, wat is dat nou weer?' vraagt Max.
'Een microfoon en boxen, dan horen we jullie stemmen en niet alleen de muziek,' legt de neef uit.
'Die heeft Errol wel, die oefent altijd met zijn band in de kelderboxen,' zegt Joost. 'Ik ga meteen vragen of we zijn spullen mogen lenen.'

Vijf minuten later staat Errol voor de deur. Met twee microfoons en twee enorme boxen. Tien minuten later steekt hij de stekker in het stopcontact, en zingen Max en Mo het lied, in de microfoon. Joost en de zeven neven trommelen en tokkelen de vrolijkste muziek die Errol ooit heeft gehoord. Zijn spierwitte tanden glinsteren als hij met een grote grijns begint te dansen. Hij schudt met zijn schouders en swingt door de kamer.
'Rom bom rommeldebrom, Moppermans, die is zo stom!' zingen Max en Mo. Mama komt nu ook op de vrolijke muziek af. Ze schopt haar schoenen uit en pakt Errols handen vast. Samen swingen ze door de kamer, door de gang, naar het balkon ...
Trrring ... trrring ... trrriiiiiing ...

Het is de bel. Max rent naar de gang, met de microfoon nog in zijn hand, en trekt de voordeur open. 'Wat is dít voor een belachelijk gedoe? Jullie moesten je schámen, om zó veel lawaai te maken midden in een flat!' Van schrik laat Max zijn microfoon op de grond vallen. Vlak voor zijn neus staat de deftige mevrouw die op nummer negen woont. En aan álles kan Max zien en horen dat ze boos is.

9. De boze buurvrouw

'Ik wil je moeder spreken, nu meteen,' sist de boze buurvrouw met haar tanden op elkaar geklemd.
'Ik ... ik ... ik kan het allemaal aan u uitleggen, mevrouw,' stamelt Max. 'We oefenen een lied voor onze meester Mopperm... eh ... voor onze meester Háns.'
'Ja, ja, dat zal allemaal best wel, jongeman, maar ik wil dat die herrie ogenblikkelijk ophoudt. On-mid-del-lijk, heb je me goed verstaan, kereltje?'
Natuurlijk heeft Max haar goed verstaan: hij is toch zeker niet doof?
'En als jullie niet acuut stoppen met dat afschuwelijke lawaai, bel ik de politie, dus je bent gewaarschuwd.'
'Maar ...' begint Max, en op dat moment komt mama de gang in gedanst. Gelukkig, want Max weet echt niet meer hoe hij de woedende buurvrouw moet kalmeren.
'Goedemiddag,' roept mama vrolijk naar de buurvrouw, 'wat gezellig dat u er ook bent!'
'Ge-ge-gezéllig?' stottert de buurvrouw. 'Ik kom hier niet voor de gezélligheid, hoor, ik kom hier om te klágen.'
'Ach, dat is nou toch jammer, zeg,' zegt mama met haar aardigste stem. Ze geeft Max vlug een knipoog, en draait zich dan weer om naar de razende

buurvrouw. 'Ik dacht dat u ons kwam hélpen,' gaat mama verder. 'We zouden uw hulp namelijk heel goed kunnen gebruiken ... maar helaas, u komt dus een klácht indienen.'
De boze buurvrouw knippert even met haar ogen en kijkt mama nieuwsgierig aan. Mama doet net of ze dat niet ziet, en gaat verder: 'Erg spijtig, dat we het zonder uw hulp moeten doen. Nu gaat ons plan vast en zeker mislukken.'
'Plan?' vraagt de buurvrouw nieuwsgierig. 'Over welk plan heeft u het, als ik vragen mag?' De boze stem van de buurvrouw is verdwenen – nu praat ze ineens net zo vriendelijk als mama.
Wat is mama toch een slimmerik, denkt Max trots. Ze maakt de buurvrouw gewoon nieuwsgierig, zodat die vergeet dat ze eigenlijk boos is! De deftige buurvrouw van nummer negen wil namelijk altijd álles weten: waar de vader van Max is gebleven, of Joost al verkering heeft, of Max een goed rapport heeft, waar mama 's morgens toch altijd zo vroeg naartoe gaat ... De deftige buurvrouw is de nieuwsgierigste mevrouw die Max kent. En eigenlijk is het niet zo vreemd dat ze altijd alles wil weten, want de buurvrouw is journalist. Ze schrijft stukjes voor de krant. Ze is dus altijd op zoek naar nieuwtjes en naar spannende verhalen.
'Komt u maar even binnen kijken,' zegt mama, 'dan kunt u met eigen ogen zien wat we van plan zijn!'
De nieuwsgierige buurvrouw struikelt bijna over de drempel, zó graag wil ze naar binnen.
Als ze de kamer in loopt, roept mama: 'Mannen,

múziek! Laat de buurvrouw maar eens horen wat jullie aan het oefenen zijn!'
'Eén ... twee ... één, twee, drie, vier ...' telt Joost, en dan ... Dan knált de muziek uit de boxen, en zingen Max en Mo zo hárd ze kunnen door hun microfoons. De buurvrouw stopt haar vingers in haar oren, maar haalt ze er vlug weer uit: ze is veel te nieuwsgierig naar het lied, én naar het verhaal dat bij het lied hoort.
Als Max en Mo zijn uitgezongen, maken ze een mooie buiging voor de buurvrouw.
'Hebt u misschien een pen en een papiertje voor mij?' vraagt ze aan mama. 'Dan kan ik jullie verhaal metéén opschrijven!'
Mama haalt pen en papier, terwijl de buurvrouw aan de eettafel gaat zitten. Iedereen gaat op de grond om haar heen zitten.
'Kom maar op met jullie plan, ik wil er álles van weten,' zegt ze als iedereen zit.

Dus zo gezegd, zo gedaan. Max en Mo vertellen haar het héle verhaal: over meester Moppermans en zijn geheim. Over het plan dat ze hebben bedacht. Over de zeven neven van Mo en hoe ze meester Hans beroemd willen maken.
'Wat een gewéldig plan, jongens,' roept de buurvrouw opgewonden als ze klaar zijn. 'Dát moet in de krant!'

10. Betrapt?

'Mo, wakker worden, kom vlug!' roept Mustafa vlak bij Mo zijn slaperige hoofd.
'Moes, laat me met rust, joh, ik ben nog veel te moe,' mompelt Mo, en hij trekt het dekbed over zijn oren.
'Maar jullie staan in de kránt!' roept Mustafa opgewonden.
Mo is in één klap klaarwakker, hij springt uit bed en rent naar de woonkamer.

Papa en mama zitten naast elkaar op de bank, met de krant opengeslagen op schoot.
'Moet je horen, Mo,' zegt papa met een trotse stem, en hij begint met voorlezen:
'De meester van groep vier heeft last van een slecht humeur. Twee jongens uit zijn klas, Max en Mohammed, hebben ontdekt wat het geheim van meester Moppermans is en zij hebben in het diepste geheim een plan bedacht, om hun meester weer op te vrolijken. Volgende week woensdag zullen zij hun plan gaan uitvoeren, op het plein voor de flat. U bent allemaal van harte welkom. Neem zo veel mogelijk vrienden en bekenden mee, want hoe meer publiek hoe beter.'
Mo staat in zijn pyjama midden in de kamer te glimmen van trots.

'Ga je maar vlug aankleden,' zegt mama, 'dan mag je de krant zo meteen mee naar school nemen.'

Mo kleedt zich vliegensvlug aan en rent met de krant onder zijn arm naar school. Max staat hem al op te wachten bij het hek. Het is nog erg vroeg, zó vroeg, dat de deur zelfs nog niet open is.
'Laat eens zien dan,' zegt Max ongeduldig.
Mo haalt de krant uit zijn rugzak en vouwt hem open op bladzijde vijf: daar staat het stukje dat de buurvrouw heeft geschreven. Glimmend van trots leest Max het hele verhaal wel drie keer opnieuw.
Er komen steeds meer kinderen om hen heen staan, die allemaal willen weten wat er staat. Het wordt steeds drukker, en al snel staan Max en Mo midden in een grote groep kinderen.
'Maar jullie mogen nog niets verklappen aan de meester, hoor,' zegt Max, 'want het moet tot volgende week echt een verrassing blijven.'
Iedereen joelt en juicht en klapt als ze horen van het plan van Max en Mo. Ze juichen en joelen en applaudisseren zó hard, dat ze niet horen dat de bel gaat.
Trrring ...
Het is kwart voor negen, en de school begint. Maar alle kinderen van groep vier staan nog buiten op het plein te luisteren naar Max en Mo. Iedereen is erg opgewonden. Ze vergeten helemaal de tijd. Groep vier is zó uitgelaten dat de kinderen niet op de deur van de school letten, de deur die plotseling opengaat, en ...

'Wat is dít nu weer voor gekkigheid?' buldert de stem van meester Moppermans over het plein. Alle kinderen draaien zich verschrikt om naar de meester. Alle kinderen, behalve Max en Mo: die proppen de krant vliegensvlug in Mo's rugzak.
'Sorry, meester, we hadden de bel niet gehoord,' liegt Max.
'We luisterden allemaal naar een nieuwe mop van Max het Moppenmonster,' verzint Mo.
De meester kijkt hem met spleetoogjes aan, alsof hij Mo echt niet gelooft, en zegt dan: 'Innen, innen, innen, en nu als de wiedeweerga naar ...'
'Binnen!' roept heel groep vier in koor.

11. Een dikke bosi

’s Middags doen Max en Mo weer een wedstrijdje op de trappen van hun flat. Als ze op de vijfde trap zijn, botsen ze bijna tegen Errol op die naar beneden rent.
‘Ho, pas op, boys, laat me er even langs alsjeblieft, ik heb een béétje haast!’ En weg is Errol alweer, rennend van de trappen af.
‘Waar moet díe nou zo snel naartoe?’ vraagt Max zich hardop af.
‘Kom,’ zegt Mo, en hij trekt Max aan zijn shirt mee naar het grote raam van het trappenhuis. Samen staren ze door het raam naar het plein voor de flat.
‘Kijk, daar gaat hij!’ roept Max, en hij wijst naar Errol die beneden over het plein rent.
Midden op het plein staat een enorm grote mevrouw in een vrolijk gekleurde jurk en met een grappige doek om haar hoofd geknoopt. Ze heeft twee gigantische koffers in haar hand. Errol botst bijna tegen de mevrouw op, maar slaat dan zijn armen om haar heen en knuffelt haar bijna plat.
‘Wie zal dát zijn?’ vraagt Mo, terwijl hij zijn neus platdrukt tegen het raam.
‘Misschien is het zijn moeder wel, maar die woont toch in Suriname?’ zegt Max.
Dan zien ze hoe Errol de koffers van de mevrouw pakt en hoe ze samen naar de flat lopen.

'We gaan het ze gewoon vrágen,' zegt Mo vastberaden, en hij trekt Max mee de trap af.

'Mama, dit zijn Max en Mo, de helden van groep vier,' zegt Errol als Max en Mo beneden zijn. 'Daar heb ik je over verteld door de telefoon, weet je nog?'
'Maar natúúrlijk weet ik dat nog, mi gudu. Allemachtig, wat een kanjers zijn dat,' zegt de moeder van Errol, en ze lacht een bulderende lach.
'Kom eens hier yonguboi,' zegt ze.
Voor hij ook maar iets kan doen, slaat ze haar sterke linkerarm om Max heen. 'Dan krijg je een lekkere bosi van mij!'
En voor Max kan vragen wat een bosi nu weer is, geeft Errols moeder hem een dikke zoen op zijn wang.
'En jij krijgt ook een bosi, jongeman,' lacht ze terwijl ze haar rechterarm om Mo heen slaat.
'En ik dan?' vraagt Errol terwijl hij zijn moeder beteuterd aankijkt.
'Ach, mi gudu, hoe kan ik jou nou overslaan, mijn schat?' Ze trekt ook Errol tegen zich aan en geeft hem een stevige pakkerd, boven op het puntje van zijn neus. 'En nu naar boven,' zegt Errols moeder, 'want ik heb een verrassing voor jullie.'

Als ze in de flat van Errol zijn, maakt zijn moeder de grootste koffer open. Ze graait tussen de spullen, en roept dan opeens: 'Hebbes!'
Max en Mo kijken met grote ogen naar de plastic

zak die Errols moeder tevoorschijn tovert. Ze kiept de zak ondersteboven leeg op de grond.
'Voor jullie, mi gudu,' zegt ze geheimzinnig, en ze tilt iets in de lucht. Het glimt en glanst en schittert voor de ogen van Max en Mo.
'Wat is dát nou?' vragen ze in koor.
'Surinaamse glitterpakken, voor jullie optreden van volgende week. Ik heb ze zélf voor jullie genaaid, toen ik van Errol hoorde over jullie plan.'
Max en Mo staren met hun mond open naar de prachtige glimmende glitterpakken.
'En deze horen er ook nog bij.' Errols moeder haalt twee enorm dikke, glanzende, gouden kettingen uit haar handtasje.
'Hartstikke nepgoud, hoor,' giechelt ze, 'maar dat ziet tóch niemand!'
'Wacht, ik heb óók nog iets voor jullie,' zegt Errol, en hij loopt de kamer uit. Hij komt terug met twee petten, twee prachtige glimmende glitterpetten.
Op de ene staat 'Max', en op de andere 'Mo', met gouden letters.
'Als dit niet gaat helpen om beroemd te worden ...' zegt Errols moeder.
'Dan weten wij het óók niet meer!' roepen Max, Mo en Errol in koor.
'En nu aan de slag: laat dat lied van jullie maar eens horen. Maar wél met jullie nieuwe pakken aan natuurlijk!' lacht Errols moeder.
Max en Mo hijsen zich in de glitterpakken: ze passen precies, net als de petten.
Als ze de kettingen om hebben, kan de voorstelling

beginnen.
'Wat is er mis met Moppermans, de meester van groep vier, hij knort en bromt de hele dag en maakt nooit meer plezier ...'
Als Max en Mo klaar zijn met zingen, krijgen ze een groot applaus van Errol en van zijn moeder. En een dikke bosi, boven op hun glimmende glitterpet.

12. Tjongejongejonge

Max en Mo sluipen op hun tenen door het trappenhuis. Ze houden hun adem in en gluren voorzichtig om het hoekje.
'Klaar voor de start ...' fluistert Mo.
'Af!' sist Max, en ze rennen vliegensvlug over de galerij naar de flat van Max.
Ze hebben hun nieuwe pakken aan en hun nieuwe petten op. Die mag niemand zien, want dan is het woensdag geen verrassing meer. Alleen bij Max en Mo thuis mogen ze het alvast zien. Daarom sluipen ze door het trappenhuis en rennen ze over de galerij. Bijna zijn ze stiekem bij de flat van Max gekomen, maar dan ...
'Jongemannen, wat moet dat hier?' Het is de stem van de huismeester, de baas van de flat.
'Wegwezen jullie, het is hier verboden voor vreemde kinderen!'
Max en Mo staren van onder hun petten de huismeester beteuterd aan.
'Ach, krijg nóu wat!' roept de huismeester verbaasd uit. 'Ik had jullie helemaal niet herkend, met die gekke apenpakkies aan!'
Hij barst in lachen uit, zó hard, dat Max en Mo hun vingers in hun oren stoppen. *Gekke apenpakkies* zegt hij, en hij lacht hen gewoon úit.
'Het lijkt wel carnaval, zoals jullie erbij lopen: car-

naval midden in de zomer!'
Max en Mo staan de huismeester nog steeds beteuterd aan te staren als de voordeur van Max' flat openvliegt en Joost in de deuropening verschijnt.
'Wauwie de pauwie!' roept hij als hij de glitterpakken ziet. 'Jullie lijken wel echte pópsterren zo!'
'Popsterren ... popsterren ... ja, nu je het zégt ...' mompelt de huismeester. 'Ja, je hebt gelijk, Joost, ze lijken wel wereldberoemde pópsterren!'
'Dan is het dus goed gelukt!' roept Max.
'Dan gaat ons plan dus lukken!' juicht Mo.
'Wélk plan, en wát gaat lukken?' vraagt de huismeester nieuwsgierig.
'Leest u de krant dan niet?' vraagt Joost, terwijl ze allemaal achter elkaar aan de flat in lopen.
'Nee, voor de krant heb ik het veel te druk, jongen. Maar vertel: wat zijn jullie van plan, en wat stond er in de krant geschreven?'

Binnen vertellen ze het hele verhaal in geuren en kleuren aan de huismeester. Die valt bijna van zijn stoel van verbazing: 'Tjongejongejonge, jongens ...' Meer weet hij niet te zeggen, zó verbaasd is hij over het geweldige plan van Max en Mo.
'En nu u hier tóch bent,' zegt Joost, 'heb ik meteen nog een vraagje voor u.'
Max en Mo kijken elkaar aan: wat voert Joost nú weer in zijn schild? Wat heeft hij nú weer voor plannetje bedacht waar Max en Mo niets vanaf weten?
'U kunt toch heel goed timmeren, en u bent toch heel erg handig?' vraagt Joost.

De huismeester knikt langzaam met zijn hoofd en kijkt Joost vragend aan.
'Dat is precies wat we nog nodig hebben: een handige timmerman. Er moet nog een podium gemaakt worden, anders zien de mensen ons niet.'

Een kwartiertje later zitten Joost, Max en Mo achter in het bestelbusje van de huismeester. Max en Mo oefenen hun lied, terwijl de huismeester een grote parkeerplaats op rijdt.
'Uitstappen, mannen: we zijn er!' roept hij over zijn schouder. Met zijn vieren lopen ze een enorme winkel binnen.
'Kom maar mee, ik weet de weg,' zegt de huismeester, en hij loopt voor de jongens uit. Ze lopen langs hoge rekken vol gereedschap, verfblikken en wc-potten. Helemaal achter in de winkel ligt waar ze voor komen: houten palen en planken, in alle soorten en maten. De huismeester zoekt de goede palen en planken uit. Max, Mo en Joost sjouwen alles naar het busje.

Als we terug zijn bij de flat, slepen we alle spullen naar de werkplaats van de huismeester.
'Bedankt, mannen, dat was me nooit in mijn eentje gelukt. En nu wegwezen jullie, er is werk aan de winkel: ik moet aan de slag!' roept de huismeester terwijl hij de deur voor de jongens openhoudt.

13. Nablijven

Op woensdag, de dag van het optreden, is alles eindelijk klaar. De huismeester heeft midden op het plein een prachtig podium gebouwd. Max en Mo hebben posters gemaakt: *Kom woensdag allemaal naar het plein, want op het plein moet je zijn!* De posters moeten alleen nog even opgehangen worden. Dat kan nog nét voordat Max en Mo naar school moeten.

'Ik hou hem tegen de muur, dan plak jij hem vast, oké?' zegt Max, terwijl hij een poster uitrolt.

Mo scheurt grote stukken plakband van de rol. Ze hangen drie posters in het trappenhuis, en twee in de hal bij de brievenbussen.

'Nu nog één in de lift,' zegt Mo, 'en dan zijn we klaar.'

'Dan weet iedereen dat je vanmiddag op het plein moet zijn,' zegt Max.

'Iedereen, behalve ... de meester!' roept Mo verschrikt.

'Oeps, daar hebben we helemaal niet aan gedacht ... de meester weet nog van niks!' stamelt Max. 'En de meester moet erbij zijn natuurlijk, want het is zíjn lied!'

'Hoe krijgen we de meester vanmiddag mee naar het plein?' vraagt Mo zich hardop af.

'We moeten hem lokken,' zegt Max, 'we moeten

een list verzinnen.'
Maar eerst moeten ze nog naar school, dus die list verzinnen ze straks wel.
Als ze in de klas zitten, zijn ze allebei zó zenuwachtig ... De hele ochtend kunnen ze aan niets anders denken dan aan het optreden straks. Sommen maken lukt niet, en het dictee verprutsen ze ook.
'Wat is er toch met jullie aan de hand?' moppert meester Moppermans om halfelf. 'Jullie letten helemaal niet op vandaag. Als jullie niet beter opletten, moeten jullie allebei nablijven vanmiddag.'
'Nee, alsjeblieft, meester,' zegt Max geschrokken, 'dat kan écht niet, hoor.'
'Niks mee te maken,' bromt de meester, 'dan moeten jullie maar beter je best doen.'

De rest van de ochtend doen Max en Mo vreselijk hun best om hun best te doen. Dat valt niet mee, want de meester houdt hen de hele tijd goed in de gaten. Daar worden ze erg zenuwachtig van, en ze wáren al zo zenuwachtig ...
'Max, zit niet zo te dromen, jongen', 'Mo, werk een beetje dóór', 'Max en Mo: ópletten nu!'
Trrring ...
Om kwart over twaalf gaat de bel.
'Max en Mo, jullie blijven nog even zitten,' zegt meester Moppermans, 'ik wil jullie nog spreken als iedereen weg is.'
'Maar méester ...' probeert Max, maar de meester zegt alleen maar: 'Geen gemaar!' En dan loopt hij de klas uit. Als hij terugkomt, zitten Max en Mo

11
Tom
2
Jessie
6
ABDUL

zwijgend voor zich uit te staren.
'Sorry, meester, dat we vandaag niet goed ons best hebben gedaan,' mompelt Mo.
'We zullen het nóóit meer doen,' fluistert Max, 'dat beloven we.'
Meester Moppermans kijkt hen heel lang heel streng aan. Max en Mo durven niet terug te kijken: ze staren allebei naar hun tafeltje. Ze zien niet dat de meester nu helemaal niet meer streng kijkt.
'Ach,' zegt hij opeens, 'wat een ónzin eigenlijk. Iederéén heeft weleens een dag dat het wat minder goed gaat. Daar weet ik zelf alles van: ik heb daar al wéken last van. Dus eigenlijk moet ík sorry zeggen, en niet jullie: sorry, jongens, dat ik zo aan het mopperen ben. En nu: inpakken en wégwezen!'
Max en Mo springen overeind en rennen de school uit, zo hard als ze kunnen.

Op het plein staan al heel veel mensen te wachten, terwijl Joost bezig is op het podium. Hij zet de boxen neer, en de zeven neven lopen te sjouwen met hun instrumenten.
'Hé, mi gudu!' roept de moeder van Errol vanaf het balkon. 'Kom gauw boven, jullie moeten je omkleden!'
'Max, Mo, hebben jullie even voor mij?' vraagt de deftige buurvrouw. 'De fotograaf wil een foto maken van jullie, voor in de krant.'
'Straks, buurvrouw, we hebben nu haast, straks willen we op de foto, mét onze glitterpakken!'
Als Max en Mo in de lift staan, haalt Max zijn mo-

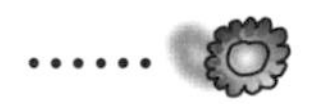

bieltje uit zijn zak.
'Het is de hoogste tijd om de meester hiernaartoe te lokken,' zegt hij, en hij toetst het nummer van de school in.
'Meester, je moet ons hélpen!' schreeuwt Max in de hoorn. 'De lift zit vast, we kunnen er niet meer uit, hélp!'
Mo moet vreselijk zijn best doen om niet in lachen uit te barsten. Wat een gewéldig goede list heeft Max bedacht!
Zal het plannetje van Max gaan lukken?
Zal de meester erin trappen?
Zal hij naar de flat komen?
Zal meester Moppermans vanmiddag bij het optreden zijn?
'Blijf waar je bent, geen paniek, ik kom jullie redden, ik kom *nú* naar jullie toe!' antwoordt de meester.

14. Beroemd!

Max heeft een friemelende kriebel in zijn buik en Mo heeft een kloppende bonk in zijn keel. Ze staan op het balkon van Errol, mét hun glitterpakken en hun glitterpetten.
'Nog drie minuten, dan gaan we naar beneden en kan het feest beginnen,' zegt Joost.
Max en Mo kijken naar het plein dat bomvol met mensen staat.
'Ik moet plassen,' zegt Max zenuwachtig, terwijl hij zich omdraait om naar de wc te gaan.
'Ik ook!' piept Mo, en hij duwt Max opzij om als eerste bij de wc te zijn.
'Ik hou het niet meer, ik ...' roept Max als Mo de deur achter zich dichttrekt.
Max trekt de deur open en doet zijn broek naar beneden, en ... ze plassen samen in de pot, net op tijd.
'Is iedereen er klaar voor?' roept Joost als ze de wc doortrekken. 'Dan gaan we nu naar beneden, dan gaat het nu eindelijk gebeuren!'

Max slaat zijn arm om Mo's schouder, en zo lopen ze richting lift.
'Het gaat gebeuren,' fluistert Mo tegen Max, 'ik hoop maar, dat de meester er is. Want zonder meester Moppermans is alles voor niets geweest ...'

Als ze beneden zijn, lopen ze door de mensenmassa naar het podium.
'Joehoe!' horen ze opeens achter zich. Ze draaien zich allebei tegelijk om en ... flits! De fotograaf maakt een foto.
'Succes, mi gudu!' roept Errols moeder.
'Zet 'm op, jongens!' roept Mo's vader uitgelaten.
'Jullie zijn kanjers!' roept Max' moeder trots.
'Ja, we kunnen het!' roepen Max en Mo tegen elkaar, en dan klimmen ze het podium op.

Iedereen begint te juichen en te klappen als de popsterren in hun glitterpakken het podium op komen. Max en Mo maken een mooie buiging, precies zoals ze die hebben geoefend.
'Stelletje bóeven!' horen ze plotseling boven het gejuich uit.
Het is meester Moppermans, die allerlei mensen opzij duwt en naar het podium komt gestormd. Hij wijst met zijn vinger naar Max en Mo, en hij kijkt heel erg kwaad. 'Stelletje bóeven, om mij hiernaartoe te lokken met zo'n flauwe list!'
Het wordt helemaal stil op het plein, niemand juicht of klapt meer.
Als de meester bijna bij het podium is, roept Joost: 'Eén, twee ... één, twee, drie, vier ...'
'Wacht!' gilt Mo opeens, en hij springt van het podium af.
'Kom mee,' zegt hij tegen de meester, en hij trekt hem aan zijn jasje mee het podium op. Het gaat zó snel, dat de meester niet kan protesteren.

‘Dames en heren, jongens en meisjes, hooggeëerd publiek!’ roept Max in zijn microfoon. ‘Mogen wij even iemand aan u voorstellen?’
‘Dit is meester Moppermans, de schrijver van dit lied!’ roepen Max en Mo, terwijl ze de meester naar voren duwen op het podium. Iedereen klapt en juicht weer, Max en Mo maken nog een keer hun allermooiste buiging, en dan ...

‘Wat is er mis met Moppermans,
de meester van groep vier?
Hij knort en bromt de hele dag
en maakt nooit meer plezier.

Rom bom rommeldebrom,
Moppermans, doe niet zo stom!’

Iedereen danst en swingt en springt over het plein.
‘Wij willen meer, wij willen meer!’ joelt het publiek als de voorstelling afgelopen is.
Meester Moppermans staat midden op het podium te glimmen van trots.
‘Wij willen meer!’ klinkt het harder en harder, en dan telt Joost weer tot vier.
De zeven neven trommelen en tokkelen er lustig op los en Joost springt met zijn gitaar in het rond. Max en Mo pakken hun microfoons, en beginnen het lied nog een keer te zingen.
‘Rom bom rommeldebrom,’ zingen ze, en dan ...
Dan grijpt meester Moppermans plotseling de microfoon van Max, en brult hij: ‘Moppermans, die is

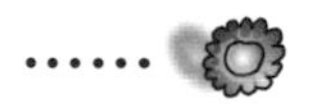

zo stom!' Max en Mo juichen en klappen en springen een gat in de lucht. De meester zingt zijn eigen lied, en iedereen zingt mee!

Max, Mo en meester Moppermans maken een mooie buiging en krijgen een oorverdovend applaus als het lied is afgelopen.
'Kijk,' zegt Mo, en hij wijst naar een spandoek dat hoog boven het publiek uitsteekt.
Wij willen meester Hans, weg met meester Moppermans!
'Zo is het maar net,' zegt Max, als hij leest wat erop staat.
'Inderdaad,' zegt de meester, en hij springt van het podium af, tussen het publiek.
'Mag ik een handtekening?' vraagt een oude dame terwijl ze de meester op zijn schouder tikt.
'Natúúrlijk, mevrouw, met alle plezier, waar wilt u hem hebben?'
De meester haalt een stift uit zijn zak, de dame steekt haar blote arm naar hem uit en de meester krabbelt iets op haar pols.
'Maar meneer de mééster, wat doet u nú?' roept de dame verschrikt als ze leest wat er op haar arm staat. 'Schrijft u nu *meester Moppermans* op mijn arm?'
'Oeps, foutje ... bedankt!' roept de meester.
Hij pakt zijn zakdoek en veegt snel de arm van de dame schoon.
Max en Mo komen kijken wat er allemaal gebeurt.
De meester krabbelt opnieuw iets met zijn viltstift op de arm van de dame.
'Dit is beter, denk ik,' zegt de meester verlegen

tegen de oude dame.
'Daar hebt u groot gelijk in,' zegt ze, 'weg met meester Moppermans, lang leve meester Hans!' Ze steekt trots haar arm in de lucht: *meester Hans* staat er met sierlijke letters op haar pols.

'Joehoe!' roept de deftige buurvrouw, terwijl ze tevoorschijn komt uit het publiek. 'Mag ik u nu een paar vragen stellen, alstublieft?'
De meester kijkt vragend naar Max en Mo: 'Wie is dit nu weer?'
'Dit is onze buurvrouw de journalist,' legt Mo uit.
De buurvrouw stelt de ene vraag na de andere, en de meester geeft op alle vragen keurig antwoord: 'Ja, ik ben meester Hans.' 'Inderdaad, ze noemen me meester Moppermans.' 'Dat klopt: ik had een geheim.' 'Ja, Max en Mo hebben mijn lied gestolen.' 'Natúúrlijk ben ik nu weer blij, want iedereen kent mijn lied!'

'Mi gudu, wat ben ik tróts op jullie allebei!' roept de moeder van Errol vanaf het balkon.
'En deze is voor u, meester Moppermans,' roept ze, en ze geeft de meester een bosi-in-de-lucht.
'Opzij, opzij!' horen ze opeens vanuit het publiek. Daar komen de ouders van Mo aan, en ze dragen allebei een grote schaal vol lekkere hapjes.
'Joepie, chebakia, onze lievelingskoekjes!' roept Max als hij de schalen ziet. 'Die móet je proeven, meester, doe je mond eens open!' Mo stopt een héle chebakia in één keer in de mond van de mees-

ter.
'Mmm ... wat een mekker moekje!' zegt de meester met zijn mond vol koek.
Iedereen schiet in de lach, en de meester ... die lacht het hardst van allemaal.
'Ik heb dorst,' zegt Max als hij zijn derde chebakia op heeft.
'Komt dát even goed uit!' zegt zijn moeder, die net komt aanlopen met de theepot. 'Maar pas op, hoor, want de thee is nog heet!'

'Ahum, mag ik even jullie aandacht?' De meester schraapt zijn keel. Max en Mo stoten elkaar aan en iedereen kijkt vol verwachting naar de meester, die iets wil gaan zeggen.
'Deze twee vréselijke boeven hebben mij vréselijk in de maling genomen vanmiddag. Ze hebben mij met een vréselijke list naar de flat gelokt. En daarom ...' de meester kijkt Max en Mo zó streng aan dat ze er allebei van schrikken. 'Daarom wil ik deze twee boeven vréselijk bedanken!'
Max en Mo slaken een zucht van opluchting. En de meester ... de meester maakt de mooiste buiging die Max en Mo ooit hebben gezien. Midden op het plein, speciaal voor Max en Mo, de popsterren van groep vier.

15. Weg met Moppermans!

Als Max en Mo de volgende ochtend precies op tijd op school komen, zijn alle kinderen al in de klas. Iedereen is er, behalve ...
'Waar is meester Moppermans?' roept iedereen opgewonden door elkaar.
'Durft hij misschien niet meer over straat nu hij beroemd is?'
'Of wil hij ons gewoon geen les meer geven, omdat iedereen zijn lied nu kent?'
'Misschien wil hij ...' zegt Max, en op dat moment vliegt de deur van het lokaal open.
Iedereen houdt zijn adem in, alle kinderen staren geschrokken naar de deur. Niemand durft nog iets te vragen, niemand verroert zich, heel groep vier zit stijf van schrik op zijn stoel.
Daar staat de meester, met zijn haren in de war en zijn lange regenjas nog aan. Hij blijft op de drempel staan en kijkt verward de klas rond. Hij mompelt iets, maar hij praat zo zacht dat niemand hem verstaat. En niemand durft te vragen wat hij zegt.

Langzaam loopt de meester naar zijn tafel, hij smijt zijn tas op de grond en gooit zijn jas over zijn bureaustoel. Hij mompelt maar door in zichzelf, hij zucht heel diep, hij gaapt, hij trekt zijn stoel onder het bureau uit, en ...

Hij klimt boven op zijn tafel!
Alle kinderen beginnen druk met elkaar te fluisteren en te smoezen. Waarom doet de meester dat nou? Is hij de kluts kwijt, is hij zó in de war dat hij niet meer weet wat hij doet? Iedereen kijkt gespannen naar het bureau waar de meester met zijn wilde bos haren bovenop staat. Ze vragen zich allemaal af wat er dadelijk gaat gebeuren. Maar niemand durft het te vragen, want allemaal zijn ze bang dat de meester dan weer begint met zijn vervelende gemopper ...
Opeens klapt de meester in zijn handen, zó plotseling, dat groep vier zich een hoedje schrikt. Het is meteen doodstil in het lokaal: niemand zegt of smoest of fluistert nog iets.
De meester schraapt zijn keel, de kinderen houden hun adem in, en dan roept de meester: 'Ork, ork, ork, soep eet je met een ...?'
'Hoera!!!' schreeuwt de hele klas in koor.
'Hieperdepieperdepiep hoera, we hebben onze meester terug! Wég is meester Moppermans, lang leve ... meester Hans!'

In deze serie zijn verschenen:

Vinden ze ons dan niet schattig?

Hij ligt nog in die vrachtwagen!

Honden in de nesten

Oude, trouwe Lobbes

China in zicht!

Rumoerige nachten

Het meisje in de maan